Enid Blyton's
NUTICULUS
Satyrique

olim fabula *NODDY and the Goblins* –
modo in linguam Latinam conversa

ab Elizabetha et Gulielmo Brice

BBC CHiLDReN'S BOOKS

Nuticulus cenulam exspectabat.

"Si quid est," inquit, "quod diligo, id est ovum coctum. Immo si duae res essent quas diligerem, esset ovum coctum utrumque."

Vix ea fatus erat, cum aperitur Nuticuli ianua. En Subdolus satyrus!

Nuticulus obstipuit.

"Noli statim ingredi," inquit. "Utere pulsabulo."

Subdolus manum foras porrexit, et fortissime pulsavit. Cui Nuticulus subiratus, "Quid tibi vis?" inquit.

"Hoc volo," inquit Subdolus, "ut tu me vesperi in Lucum Obscurum ad convivium vehas."

"Haud scio an malim illum locum vitare," inquit
Nuticulus haesitans.

"At tibi," inquit Subdolus, "vel duo saccos nummorum
dabo, si me cum vexeris illuc, etiam domum reduxeris."

Nuticulus, capite nutante celerrime, exclamat,
"Dives mehercule fiam! Enimvero te libenter veham."

In Luco Obscuro omnia obscurissima erant.
"Utinam ne venissem," inquit Nuticulus.
Risit Subdolus. "Hic sistere licet," inquit.
Nuticulus autoraedam sistit. "Ubi fit convivium?" rogat.

Ecce Satur satyrus, qui pone arborem latebat, subito exsilit.

"Ave, Nuticule!" inquit. "Hic fit convivium."

"Satur!" clamavit Nuticulus. "Tuumne id convivium?"

"Vero," inquit Satur, odiose ridens. "Descende de autoraeda!"

"Quando saltari incipitur?" rogavit Nuticulus.

"Minime hic incipitur saltari," inquit Satur inimice, "omnino convivium non est, sed insidiae. Nam nobismet ipsis autoraedam tuam, Nuticule, volumus. Ergo sine mora descende!"

Nuticulum ad terram praecipitavit.

"O satyri pravi," clamavit Nuticulus. "Furtum facitis!"

"Sed tantum ad tempus," inquit Subdolus, "volumus uti autoraeda tua, cursitandi causa. Satyris enim possidere autoraedas non licet."

"Nec mirum," inquit Nuticulus, "si quidem hoc modo vos geritis!"

"Mihi placet pileus tuus, Nuticule. Istum quoque mutuari in animo habeo!" inquit Satur ridens, et Nuticuli pileum corripuit.

"Ne pileum! Pileum linque," clamavit Nuticulus miser.

Satur autem in Nuticuli autoraedam ascendit. "Remove te, Subdole," inquit. "Autoraedam gubernare volo."

Quibus dictis evecti sunt illi duo satyri pravi maximo risu cachinnantes.

"Succurrite!" inquit Nuticulus iratus, ad pedes se aegre tollens.

Solus in Luco Obscuro, Nuticulus, paenitens sui, nihil nisi nocturnos ulul10arum cantus audire poterat. Inde murmurans secum, "Plane," inquit, "huc me venire non oportebat. Pecuniosus fieri minime volo. Et lacrimarem nisi tam iratus essem."

Per tenebrosos horribilesque lucos errabat.

"An nemo est," inquit plorans, "qui mihi succurrere possit soli ac misero?"

Tum forte ad casam quandam appropinquavit.

"At hercule quo venerim scio," clamavit Nuticulus. "Auriti est haec domus!"

"Quis es?" rogavit Auritus.

"Aurite! O Aurite!" laete vociferatus est Nuticulus. "Nuticulus sum. Veni sis et sine me intrare."

Nuticulum omnia sicut acciderant narrantem benigne audivit Auritus.

"Quam dira fabula," inquit Auritus. "Hoc de poculo lac mellitum accipe, Nuticule."

"Perturbatus es. Iuxta focum manere oportet donec te sanatum sentias. Me magnopere inritant illi satyri," adiecit Auritus. "Ad custodem Magistrum Pedestrem ibo, qui autoraedam pileumque tuum repetere conetur."

Interea in foro Tundens Canis in purgamenti ollam inscendere conabatur. Quantum strepuit! Tundens ita exsiluit ut olla eversa per viam maximo crepitu volvere coeperit. Canis deinde insecutus est.

Magister Pedester,
extra praetorium consistens,
"Heus! Unde dirus
ille crepitus?" inquit.
    Tum olla volvens in Magistrum
Pedestrem suo impetu defertur ac percutit eum; qui
(horribile dictu) ictus in terram cecidit; deinde etiam
accurrit eodem Tundens Canis a quo iterum percussus,
iterum cecidit. O miserum Magistrum Pedestrem!

Iratissimus, "Tundens Canis! Te habeo, catule!" inquit, se erigens. "Mane te domum ad Ursam Theresillam reducam."

Simul adiit Auritus, birotam manu propellens. "Vere dicam, Magister Pedester," inquit, "inusitatus hic otio fruendi locus."

"Scilicet mihi non est otium sed negotium – canem hunc deprehendere," respondit custos.

"Immo vero etiam satyros deprehendas oportet," inquit Auritus, "quoniam Nuticuli autoraedam pileumque surripuerunt. Factum est in Luco Obscuro scelus: ibi, ut eos invenias, auxilium dabo!"

"Gratias ago," inquit Magister Pedester. "Canem hunc una ducamus."

In Luco Obscuro, Magister Pedester taedam incendit.

"Satyrorum vestigia nulla," susurravit Auritus.

"Praeterea, canis ille iterum aufugit," respondit Magister Pedester.

Tantus tamque subitus inde auditur latratus, ut paene conciderent.

"Nulla res praeter Tundentem Canem. Ludere vult," inquit Auritus.

Baculum, a Magistro Pedestri projectum, insecutus est Tundens. Deinde Auritus, cum custode sedens, "Consilium capere debemus," suasit.

Subito tinnimentum audierunt. Tundens Canis, Nuticuli pileum dentibus tenens, apparuit.

"Quam praeclarus canis qui Nuticuli pileum invenit!" inquit Magister Pedester.

"En consilium nostrum!" clamavit Auritus, "ut Tundens Canis ubi pileum invenerit nobis indicet."

Quo audito, Tundens Canis laetus caudam movebat.

Tundens Canis, Magistro Pedestri et Aurito sequentibus, prope arborem cavam sistens, caudam movebat.

"Illos satyros stertentes audire possum. Dormiunt," inquit Auritus.

"Nos tacere oportet," inquit Magister Pedester.

Subito Tundens magna voce latravit.

Auritus "Eheu!" inquit, "nunc profecto experrecturi sunt."

Inde, "Reperti sumus," clamavit Satur. "Age, Subdole!" Deinde satyri currere coeperunt. Magister Pedester, dum eos insequi conatur, in Tundentem pedibus offendit ceciditque super eum, ita ut taeda exstincta sit.

"Age, Aurite," inquit anhelans Magister Pedester.
"Ergo necesse erit illos per tenebras inveniamus!"

Quam insolita illa venatio! Nemini quo progrederetur
apparebat dum per silvam errabant, et in arbores saepe
offendebant.

Tum Subdolus atque Satur, in arborem se celandi causa ascendentes, adeo ridebant ut delapsi sint.

Satyri se in fugam dederunt. Quos insecutus, Magister Pedester clamavit, "Sistite per leges!"

Protinus, Tundente Cane inruente, Subdolus Saturque tam repente constiterunt ut Auritus et Magister Pedester, qui cursim subibant, non solum in satyros offenderint, sed etiam, cum satyris, in quadruplicem acervum ceciderint!

"Bene fecisti, Tundens Canis. Sceleratos cepisti!" inquit Auritus. Omnes surrexerunt et se detergere coeperunt.

Tum Magister Pedester, "Agite," inquit, "reddamus oportet Nuticulo autoraedam et pileum; hos autem in praetorium ducemus et severe admonebimus."

Nuticulus, cum in lectulo cum stratis mollissimis apud Auritum dormivisset, postridie mane expergefactus est.

"Auritus domum nondum recurrit, etiam nec autoraedam nec pileum adhuc recuperavi," secum tacite tristi animo cogitabat. Sed sonum quendam dulcissimum subito audit quasi cornu canens, et exclamat, "Ecce mea cara autoraedicula est!"

Statim foras ruens, non solum autoraedam suam, Aurito gubernante, sed etiam Tundentem Canem, caudam superbe quassantem, et pileum Nuticuli ferentem, cernit.

Insuper post eos, en Magister Pedester, et, funiculo eius ligati, duo illi satyri improbi, Subdolus atque Satur.

Deinde Nuticulus Tundenti Cani pro pileo suo gratias egit, dum Magister Pedester satyros scelerosos eduxit.

Postremo Auritus, "Age Nuticule," inquit iucunde, "erit nobis ovum coctum ientaculo positum?"

"Duo fortasse, si licet," inquit Nuticulus cum risu.

Pro prudenti consilio nonnullis amicis in lingua Latina eruditis,
et praecipue Professori JGF Powell qui has litteras intente intuitus est,
gratias agimus.

EB/GB

Hos libros etiam de fabulis Nuticuli ut in TV repraesentatis
vendit BBC Children's Books

Noddy and his Bell
Noddy and the Broken Bicycle
Noddy Delivers Some Parcels
Noddy Gets a New Job
Noddy and the Goblins
Noddy and the Kite
Noddy Loses Sixpence
Noddy and Martha Monkey
Noddy and the Milkman
Noddy and the Naughty Tail
Noddy and his New Friend
Noddy and the Pouring Rain
Noddy and the Special Key

Edidit BBC Books
cuius officina invenitur apud BBC Enterprises Limited
Woodlands, 80 Wood Lane, London W12 0TT
Editio prima 1993
Ius textum imaginesque stativas edendi habet © BBC Enterprises Limited 1993
ISBN 0 563 36881 0

Fabulas pro BBC TV transmittendas curavit Cosgrove Hall,
libros de Nuticulo aemulatus quorum ius edendi habet © Darrell Waters Limited 1949-1968

Ius chirographum Enid Blyton in commercio usurpandi habet Darrell Waters Limited

Per typos Garamond 17/21 punctorum composuit BBC Books

Excudit inque volumen colligavit in Magna Britannia Cambus Limited, East Kilbride
Colores discrevit DOT Gradations, Chelmsford
Integumentum confecit Cambus Limited, East Kilbride